01/09/17 DP B8 2,50€

ASSiMiL® évasion

Mise en pages : **ASSIMIL** France

Illustration couverture : Gavi

© Assimil 2005

ISBN 978-2-7005-0202-2
ISSN 1281-7546

La version originale de cet ouvrage est parue en allemand sous le titre **American Slang, das andere Englisch**, aux éditions Reise Know-How Verlag Peter Rump GmbH, Bielefeld.
Copyright Peter Rump.

L'Américain
sans interdits

(argot américain)

d'après Renate Georgi-Wask et
Anette Linnemann
adaptation française de Martine Farina

Illustrations de J.-L. Goussé

B.P. 25
94431 Chennevières-sur-Marne Cedex
FRANCE

COLLECTION *évasion* ⟶

Afrikaans – Albanais
– Allemand – Alsacien –
Anglais britannique – Anglais pour
globe-trotters – Anglais australien – Arabe
algérien – Arabe égyptien – Arabe marocain
– Arabe tunisien – Arabe des pays du Golfe –
Arménien* – Auvergnat – Basque – Brésilien – Breton
– Bruxellois – Bulgare* – Calédonien – Catalan – Chinois
– Chtimi – Coréen – Corse – Créole capverdien – Créole
guadeloupéen – Créole guyanais – Créole haïtien – Créole
martiniquais – Créole mauricien – Créole réunionnais – Croate
– Danois – Espagnol – Espagnol d'Argentine – Espagnol de
Cuba – Espagnol du Mexique – Esperanto* – Estonien* – Finnois
– Flamand – Francoprovençal – Gallois – Gascon – Géorgien
– Grec – Hébreu – Hiéroglyphe – Hongrois – Indonésien
– Irlandais – Islandais – Italien – Italien pour fans d'opéra –
Japonais – Kabyle – Lao – Languedocien – Letton – Lingala*
– Lituanien – Lyonnais – Malgache – Maltais – Marseillais
– Néerlandais – Norvégien – Picard – Platt lorrain
– Polonais – Portugais – Provençal – Québécois –
Roumain – Russe – Serbe – Slovaque – Slovène
– Suédois – Suisse alémanique – Tagalog
– Tahitien* – Tamoul – Tchèque – Thaï
– Turc – Vietnamien – Wallon
– Wolof – Zoulou*

LANGUES DE POCHE

– Américain
– Anglais
– Bruxellois
– Espagnol
– Flamand
– Argot français pour
néerlandophones
– Wallon

SANS INTERDITS (ARGOT)

Français pour :
– anglophones
– germanophones
– hispanophones
– Hongrois
– Italiens
– Japonais
– lusophones
– néerlandophones
– Polonais
– russophones
– Turcs

FRANÇAIS À L'USAGE DES ÉTRANGERS

* En cours de réalisation,
à paraître prochainement.

Assimil Évasion,
une recette différente

Vos ingrédients :

- un condensé de grammaire ;
- une bonne dose de conversation, à base d'éléments nutritifs et variés ;
- un saupoudrage savamment dosé de conseils d'amis et de tuyaux sur les coutumes locales ;
- une bibliographie légère ;
- en dessert, un double lexique ;
- et pour pimenter un peu le menu, un zeste d'humour avec nos illustrations souriantes.

Il ne vous reste plus qu'à mettre les pieds sous la table pour déguster ce repas équilibré au gré de votre appétit, et en tirer tous les bienfaits : confiance, joie de communiquer et de devenir un peu plus qu'un simple touriste.

SOMMAIRE ▮

▮ AVERTISSEMENT

▮ L'AMÉRICAIN EN TOUTES CIRCONSTANCES

EXPRESSIONS POUR TOUS LES JOURS

GROS MOTS ET INSULTES EN TOUS GENRES

QUAND LE SEXE S'EN MÊLE...

INDEX LEXICAL

X

AVERTISSEMENT

Avant que vous ne vous jetiez avidement dans la lecture de cet ouvrage, nous vous demandons une minute d'attention : imaginez que cette petite chose que vous avez entre les mains vient de vous être livrée dans une caisse. En personne sensée et prudente, vous vérifiez l'emballage. Sur un large bandeau, en lettres gigantesques, figure la mention : "Danger ! Contient des matériaux explosifs. À manipuler avec précautions". Voilà, maintenant, vous pouvez ouvrir. On vous aura prévenu !

Cependant, ne vous réjouissez pas trop vite, car tout n'est pas explosif dans ce livre (nous tenons trop à notre réputation…). Et sachez aussi que les termes grossiers, injurieux, racistes, que vous y trouverez ne reflètent en rien – cela va sans dire – notre langage quotidien, et que nous ne tenons pas du tout à voir leur usage se développer et se généraliser. Notre seul objectif est de vous faire rencontrer, pour que vous sachiez les reconnaître, quelques termes de cet "autre langage" qu'est l'argot, parce que vous serez appelé à l'entendre au cours de vos voyages, dans la rue, dans les films, dans les écrits et dans la vie de tous les jours… et qu'il est donc important de le comprendre. Bien sûr, leur liste est loin d'être exhaustive.

QUE TROUVEREZ-VOUS DANS CE LIVRE ?

Vous serez étonné par son éclectisme : en effet, loin de constituer exclusivement un recueil d'argot, il est avant tout un guide linguistique pour la vie de tous les jours.

Dans sa première partie, il vous propose des listes de mots utiles et d'expressions familières pour faire face sans problème aux situations courantes : dans les magasins, à la station-service, à la banque, au restaurant, etc. Il vous donne également un aperçu des spécificités linguistiques de l'américain – comme son goût immodéré pour les abréviations, par exemple –, des modes de vie différents des nôtres, etc.

Dans la seconde partie – à réserver aux adultes –, il aborde carrément "l'autre langue", cette langue terriblement riche et imagée qu'est l'argot américain.

Attention ! Un mot peut en cacher un autre : tout comme en français, selon le contexte, la personne à laquelle il s'adresse, ou la façon dont il est prononcé, le même mot peut prendre une connotation tout à fait différente.

Nous nous sommes efforcés, chaque fois que cela était possible, de respecter le même niveau de langage. Et comme "prudence est mère de sûreté", nous avons pris la précaution d'assortir les expressions vraiment très osées d'un 💣. Par ailleurs, toujours par prudence, nous nous contentons parfois de n'indiquer qu'une traduction littérale !

Vous trouverez enfin dans l'annexe de ce livre un index anglais de tous les mots et expressions de l'ouvrage classés par ordre alphabétique. Le numéro des pages indiqué après chaque mot renvoie à la – ou aux – rubrique(s) où il a été cité et traduit.

Pour les expressions, c'est le mot-clé qu'il convient de chercher (ex : **Life is a bitch** est classé sous le mot **bitch** et renvoie à la page correspondante).

ON ABRÈGE...

Les Américains prennent beaucoup plus de liberté que leurs cousins britanniques avec leur langue commune. Ils affectionnent tout particulièrement les abréviations et se plaisent à former des mots nouveaux que les non initiés ont beaucoup de mal à saisir. Peu répandues dans la littérature, mais de plus en plus présentes dans le langage parlé, ces expressions trouvent leur place notamment dans les slogans publicitaires.

Si vous voyez écrit **U2**, ne pensez pas qu'il s'agit d'un code secret ou d'un rébus ; cela signifie simplement **you two** ou **you too**... En effet, vous verrez souvent écrit **u** au lieu de **you**, ou **X-mas** pour **Christmas**. Le principe consiste à écrire ce que l'on entend en allant au plus court ; ne vous étonnez pas, par exemple, de voir **"Room 4 rent"** sur une annonce ; il ne s'agit nullement d'un numéro de chambre, mais bien d'une offre de location : "Room for rent". Simple, non ?

Il existe un autre type de "mutation" qui consiste à ajouter **-ish** à certains mots, notamment aux adjectifs. Ainsi, **green** deviendra **greenish**, *verdâtre*. Jusque-là, nous savons le faire. Mais sachez qu'on trouve aussi **sevenish**, *aux environs de sept heures*, ou **he is fortyish**, *il a la quarantaine*. Admirez cette souplesse !

Vous serez étonné du nombre et de la diversité considérables de ces "créations", mais vous verrez que vous en saisirez très vite le sens, une fois le mécanisme acquis.

Vous serez également confronté, lors de vos voyages aux États-Unis, aux "raccourcis", que nous connaissons bien nous aussi, du type : "Qu'est-s'qu'y dit ?", ou "Tu peux m'donner un coup d'main, s'te plaît ?". Bien sûr, ces raccourcis abondent surtout dans le langage parlé, mais on les trouve aussi à l'écrit dans les bandes dessinées… Pour vous permettre de vous y retrouver, nous vous proposons un tableau qui reprend les principales expressions de ce type :

no	→	nope	non
yes	→	yup	oui
give me	→	gimme	donne-moi
have got a /to	→	gotta	avoir à, devoir
lot of	→	lotta	beaucoup de
sort of, kind of	→	sorta, kinda	sorte de, espèce de
kind of cute	→	kinda cute	assez mignon
what are you	→	watcha	ex : "what are you" doing?
going to	→	gonna	ex : I am "going to" see
want to	→	wanna	vouloir
did you	→	didya	as-tu (fait, etc.) ?
would you	→	wouldya	pourrais-tu ?
I've got you	→	gotcha	je (te) comprends
isn't, am not	→	ain't	n'est pas, ne suis pas
because	→	'cuz, cause, cos	parce que
if	→	iffy	incertain, aléatoire
what do you (want)?	→	whatdya	que veux-tu ?
refrigerator	→	fridge	frigo (réfrigérateur)
brother, sister	→	bro, sis, brotha, sista	frère, sœur
grandmother	→	granny, gram grandma	grand-mère
grandfather, grandparents	→	gramps	grand-père, grands-parents

mother	→	mom, ma	mère
father	→	dad	père
cousin	→	cuz	cousin

I'm iffy about it.
Je n'en suis pas sûr.

Whatchamacallit?
Comment ça s'appelle ?

Whatshisname? / Whatshisface?
Machin-truc-muche (en parlant d'une personne)

WATCHA GONNA DO?
(Qu'est-ce que tu vas faire ?)

... Et pour en finir avec ce chapitre, nous vous livrons quelques abréviations "authentiques" que vous rencontrerez très souvent :

B.Y.O.B. = Bring your own beer / booze / bottle
Apportez votre bière / boisson (alcoolisée) /
bouteille (précision très utile pour une fête)

| **R.S.V.P.** | = | Répondez, s'il vous plaît… (Celui-ci, vous le comprenez, puisqu'il vient directement de chez nous.) Les Américains l'ont adopté et le comprennent comme voulant dire : **call if you can't make it**. |
| **T.G.I.F.** | = | **Thank God it's Friday!** Enfin le week-end ! |

T.G.I.F.!
(Enfin le week-end !)

ACROSS USA

En voiture !

Comme chacun sait, la voiture est l'enfant chéri des Américains. Pas étonnant, donc, que le réseau routier soit largement plus dense que le réseau ferroviaire !

Chaque localité des États-Unis est desservie par des **high-** ou **freeways**, *autoroutes*. La vitesse est très réglementée et limitée à 55 ou 70 mph (miles/heure), c'est-à-dire à 90 ou 150 km/h. Celui qui roule avec un *pied de plomb*, **lead foot**, ou à *fond la caisse*, **floor it!**, ne doit pas s'étonner si un **cop**, *flic*, lui demande *d'appuyer sur le frein*, **to hit the brakes**.

Un peu de vocabulaire :

interstate (abrév. : **I**)	autoroute
intersection, crossing	croisement, carrefour
shortcut	raccourci
yield!	cédez la priorité
to honk the horn / to beep / to toot	klaxonner
(car) registration	carte grise
(driver's) license	permis de conduire
to hang a right / left	tourner à droite / à gauche
to pull up to (the garage)	se garer (au garage)

Step on it!
Appuie sur le champignon !

Panne sèche !

Eh oui ! Ça arrive partout ! Direction : **Gas Station**, *station-service*, la plus proche. **Garage** et **Repair Shop** désignent un *garage*, mais aussi un *parking*.

to run out of gas	tomber en panne sèche
ten dollars' worth	pour dix dollars
(unleaded) gas	essence (sans plomb)
Super (or) **Extra**	super
self-service	essence en self service
full-service	station proposant d'autres services, plus chère

Fill'er up!
Le plein s'il vous plaît !

To hitch a ride ou **to thumb a ride** (**thumb** = *pouce*) signifie *faire du stop*. Comme partout, les automobilistes ont de plus en plus peur de prendre des autostoppeurs. Toutefois, si vous n'avez pas trop l'air d'un **hitch-hiker**, *stoppeur "des grands chemins"*, vous avez de bonnes chances de voir quelqu'un s'arrêter.

to hit the road / to get going	démarrer, prendre la route
to give someone a ride / lift	emmener (quelqu'un) en voiture

Where are you headed?
Dans quelle direction allez-vous ?

Where do you wanna be dropped off?
Où voulez-vous que je vous dépose ?

To ride shotgun (du temps du Far West, quand le conducteur d'une diligence était accompagné d'un homme armé d'un fusil de chasse) veut dire : être assis à côté du conducteur, pour ne pas dire… à la place du mort. Pour gagner le droit de s'asseoir devant, il faut être le premier à dire **shotgun** ou **shotty** ! Un **backseat driver** est un passager qui abreuve sans cesse le chauffeur de ses conseils (Osez dire que vous n'en connaissez pas !).

my wheels	ma bagnole, ma caisse
station wagon	break
hatch back	hayon (fourgonnette)
a low rider	grosse voiture de ville, confortable, avec suspension hydraulique
convertible	cabriolet
hard top	berline (toit rigide escamotable)
rag top	voiture décapotable
sun roof	toit ouvrant
a classic	voiture des années 50 ou plus anciennes
a hot rod	bolide, voiture "gonflée"

gas guzzler	voiture qui consomme énormément
van	van
bus, VW van	mini-bus, van
bomb, lemon, old clunker, heap, junker	vieux rossignol
designated driver	le conducteur qui a été désigné pour ne pas boire
tailgater	celui qui se colle à votre pare-choc

To truck voulait dire à l'origine *échanger, négocier*. Le **truck** désignait le moyen de locomotion avec lequel le paysan transportait ses produits au marché. Les petits poids-lourds sont des **trucks**, les camions à plateau ouvert sont des **pick-up trucks**. **To truck** signifie aujourd'hui *transporter*. Les énormes poids-lourds sont appelés **trucks**, mais aussi **semi**, *semi-remorques*, et leur *remorque*, **trailer**. L'ensemble arrive parfois à 18 roues, **18-wheeler** ! Au volant de ces **highway monsters** qui brillent de tous leurs chromes, on trouve les fameux **truckers**.

Greyhound & Trailways

Ce sont les deux compagnies d'autocars les plus connues. Elles desservent toutes les grandes villes, mais pas nécessairement tous les lieux touristiques.

bus fare	prix (du trajet)
transfer ticket	billet pour la navette
to transfer	changer (correspondance)
ticket window	guichet de vente des billets
round trip ticket	billet aller-retour
window seat	place près de la fenêtre
aisle seat	place sur le couloir
coach	autocar

cab, Yellow Cab	taxi (consignes : s'asseoir à l'arrière, donner 15 à 20 % de pourboire)
to hail a cab	héler un taxi
cabbie	conducteur de cab / taxi

Now boarding!
Tout le monde en voiture !

Apprenez qu'un **jaywalker** est un imprudent qui traverse en dehors des passages pour piétons !
Sachez aussi que dans le **subway** de New-York, on n'achète pas de tickets, mais des **tokens** : ce sont des jetons que l'on jette dans le *tourniquet*, **turnstile**. **Token** veut aussi dire *signe, symbole*.
Un panneau de signalisation portant l'inscription **ped-Xing** indique un **pedestrian crossing**, *passage piétons*. **Thru-way (through way)** désigne une voie express ou une autoroute.
… Et pour ceux qui ne veulent emprunter absolument aucun moyen de transport, il existe toujours la possibilité de s'adonner au **hiking**, *randonnée*, *escalade* : aux États-Unis, beaucoup de paysages vierges de toute trace humaine vous y invitent.
To be on the hoof signifie *se déplacer à pied*.

JE METS ÇA SUR VOTRE COMPTE ?

Money, money, money… **"Money makes the world go round"** prend pleinement son sens aux États-Unis, probablement plus que partout ailleurs. Même si "argent" ne veut pas toujours dire *liquide*, **cold hard cash**, dans les magasins on vous posera souvent la question : **"Cash or charge?"**, *Vous payez en espèces ou par carte de crédit ?*

bucks	dollars
big bucks	friqué, plein aux as
a grand	mille dollars

dough	flouze, pèze
moolah, dinero, bread, loot	fric, tunes
Susan B. Anthony Dollar	pièce de 1 dollar (pratiquement disparue)
dollar bill, buck	dollar (billet)
fin, five spot	billet de cinq dollars
quarter	pièce de 25 cents
dime	pièce de 10 cents
nickel	pièce de 5 cents
penny	pièce de 1 cent
change, small change	petite monnaie
bribe	pot-de-vin
to have cash on hand	avoir du liquide sur soi
to cash a check	encaisser un chèque
to bounce a check	ne pas encaisser un chèque (en bois)
to be loaded	être plein aux as
to be broke	être fauché
to be busted	être à sec
easy money	argent facile
to leach dollars off someone	mendier, faire la manche
to be a leech, to be a mooch	être un mendiant
to be cheap, to be tight	être radin
a cheapskate, a penny pincher	un radin

Pour dire qu'on a gagné une certaine somme d'argent en une soirée, on dira (pour un serveur, par exemple) :

I made a buck.
J'ai gagné 100 dollars.

I made a hundo.
J'ai gagné 100 dollars.

I made a buck fifty.
J'ai gagné 150 dollars.

On emploie **buck**, **buck twenty five**, **buck fifty**, etc. pour parler du prix de quelque chose. Selon le contexte, il s'agit d'1 \$, 1,25 \$, 1,50 \$ ou de 100 \$, 125 \$, 150 \$.

Il existe donc un certain nombre de termes argotiques pour designer l'argent.

Pour une grande somme d'argent, on parle de **chedder** ou de **chedda** (à l'origine, il s'agit d'un fromage). On parle également de **dead presidents** (en référence aux billets de banques et aux anciens présidents qu'ils représentent).

How many dead presidents do I owe you?
Combien je te dois ?

It costs a lot of chedda!
Ça coûte un max !

Pour l'argent liquide, vous entendrez également, **cash**, **green backs**, **green**.

Attention ! **green** sert aussi à désigner la marijuana.

Une expression utile pour dire que vous avez beaucoup d'argent :

I've got money and it's burning a hole in my pocket!
J'ai de l'argent à en trouer ma poche !

Notez enfin que pour la carte de crédit, on peut utiliser le mot **plastic** :

Dad, can you lend me your plastic?
Papa, tu me prêtes ta carte de crédit ?

No cash? No problem. I've got plastic.
Pas d'argent liquide ? Aucun problème. J'ai une carte de crédit.

LA FIÈVRE ACHETEUSE

Vous trouverez dans les supermarchés américains la même cohue que chez nous. Vous ne serez donc pas dépaysé ! Apprenez à comprendre quelques panneaux :

generic products	produits génériques (sans marque)
bulk food	produits alimentaires en vrac, non conditionnés
junk food	cochonneries (sur le plan alimentaire)
hot-selling item	article qui se vend bien
a good deal / bargain	une bonne affaire
on sale	offre spéciale
budget department	rayon des bonnes affaires
sale	soldes
savings	économies
express lane: 8 items	caisse rapide : moins de...
or less	9 articles (8 articles ou moins)
cash only	argent liquide uniquement
check-out / register	caisse

Ne soyez pas étonné, en arrivant à la caisse, de voir un **bag boy / box boy** ou **box person** emballer vos produits dans des sacs. Il vous épargnera cette tâche... moyennant pourboire, bien entendu : **"Baggers are only working for tips"**.

• **Shoplifters will be prosecuted!** *Les voleurs seront poursuivis !*

• **3-item limit** signifie que l'on ne peut emporter que trois articles dans la cabine d'essayage.

• **drugstore** : on y trouve des médicaments, des produits cosmétiques, des sucreries, des vêtements, des disques, et... tout ce qu'on veut, et le reste.

• **convenience store** : magasin de quartier qui reste ouvert tard le soir. Exemple : la chaîne des épiceries **7-11 (seven eleven)** qui sont assez chères, mais restent ouvertes 24 heures sur 24.

• **deli (= delicatessen)** : épicerie/charcuterie/traiteur que l'on trouve dans les grandes villes.

• **hardware store** : quincaillerie.

• **department store** : grand magasin.

• **a mall** : grand centre commercial regroupant de nombreux magasins, cinémas, restaurants. C'est le point de rencontre traditionnel des jeunes.

• **liquor / package store** : magasin où l'on vend des boissons alcoolisées, mais où l'on trouve souvent également de la nourriture.

• **thrift shop, junk store** : magasin spécialisé dans la vente d'articles d'occasion ou de camelote.

• **mart** : supérette.

On voit souvent dans les restaurants et les **deli** l'inscription **kosher food**, qui indique que la nourriture est casher.

• **State sales tax** : pourrait se comparer à notre TVA.

Attention ! Dans presque tous les États (sauf dans l'Orégon et l'Alaska, entre autres), les prix sont indiqués hors taxes, la taxe locale étant ajoutée à la caisse.

to return something	rendre quelque chose
to exchange something	échanger quelque chose
rebate	rabais, réduction
deposit	consigne, et aussi acompte
proof-of-purchase	ticket de caisse
receipt	reçu
sales clerk, sales person	vendeur, vendeuse
cashier	caissier
to go on a beer run	aller acheter des quantités de bière (souvent dans un autre État où le prix de la bière – ou l'âge minimum requis pour en boire – sont moins élevés.)
to go on a food run	aller faire les courses
a ripoff	arnaque, carrottage
to brown-bag it	emporter son "manger" au travail
to wait / stand in line, to line up	faire la queue
billboard	panneau publicitaire
tourist trap	piège à touristes
returnable, refillable	consigné, réutilisable, rechargeable
recyclable	recyclable

Shop 'til you drop!
achetez jusqu'à ce que vous tombiez par terre
Faites vos courses avec plaisir toute la journée !

À TABLE !

Eh bien oui ! La nourriture aux États-Unis est meilleure qu'on ne le croit. Si on laisse de côté, bien entendu, ce que l'on appelle la **junk food** (**junk** = *poubelle*), qu'on pourrait traduire par des "cochonneries", et ce que proposent les chaînes de **fast-food**. Outre le traditionnel **burger, fries & coke** ; le **BLT** est un **sandwich with bacon, lettuce & tomato**. Dans les États de l'Est et du Middle-West, on appelle les restaurants rapides des **diner**, à ne pas confondre avec **dinner**, qui est le repas principal. Dans un **take-out Restaurant**, on vous demandera : **For here or to go?**, *Sur place ou à emporter ?*

Les **greasy spoons** (litt. "cuillers graisseuses"), désignent des bistrots un peu crades et très bon marché.
Les appellations **casual** ou **informal restaurant** s'appliquent à des restaurants simples et bon marché.
Si on veut manger sur le pouce, on précisera qu'on veut un **quick pick-me-up** ou on dira :

Wanna grab a bite.
Je voudrais casser une petite croûte.

to eat like a horse	manger comme quatre
to pig out	manger comme un porc
to chow down	bouffer, s'empiffrer
chow	bouffe, graille
to gobble	engloutir
to nibble	grignoter
with the works	garni
combo …	… bien garni
carry-out, to take out	(plats) à emporter
munchies	petites choses à grignoter

TO PIG OUT
(manger comme un porc)

I got the munchies!
J'ai la dalle !

I'm so hungry I could eat a horse!
J'ai une faim de loup!

Gastronomiquement vôtre

Les fancy restaurants, que l'on appelle aussi **classy restaurants** ou **fine dining**, sont des endroits chics et chers. Voici quelques recommandations à observer :

On ne choisit pas sa table ; c'est le rôle d'un **host** ou **hostess**, qui vous demande **"Your name and the number of people in your party?"**, et vous place à une table adéquate selon l'importance de votre groupe .

Please wait for hostess to seat you, *attendez que l'hôtesse vous place*, figure souvent à l'entrée de l'établissement. Dans le cas contraire, il est précisé : **Seat yourself**.

Sachez que le personnel s'attend à recevoir un *pourboire*, **tip**, d'environ 15 % pour un service correct, de 20 % pour un service de qualité supérieure, non compris dans l'addition.

Les propriétaires de chiens peuvent demander un **doggie bag** ou un **to-go box**. Ils peuvent ainsi récupérer les restes de leur repas et les emporter avec eux, pour le chien ou… pour qui ils veulent, après tout !

La *carte*, **menu**, est assez compréhensible. Voici malgré tout quelques particularités :

• **Salad Bar** : c'est un buffet de salades en libre service. Il y a aussi des **Potato Bars**.

• **All You Can Eat** signifie à *volonté* : vous pouvez manger jusqu'à n'en plus pouvoir, pour un prix forfaitaire. Certains restaurants assurent que si vous arrivez à "tout" manger en une heure, vous ne payez rien !

Pour ce qui est du café – bien différent du nôtre, car largement dilué –, on ne paie généralement que la première tasse ; pour les suivantes, on demande : **May I have a refill?**

• **2-4 (two-for = two for the price of one)** est souvent mentionné pour le prix des steaks : deux pour le prix d'un.

greens / tossed salad	salade verte
hash browns	pommes de terre râpées et sautées
french fries	frites
Tater Tots	chips
bar-b-que (souvent écrit **B-B-Q**)	barbecue
stew	râgout
chowder	soupe aux coquillages
soda	eau gazéifiée, souvent servie avec du sirop
soda fountain	à l'origine le bar du drugstore où l'on pouvait boire du "ice-cream soda"

breakfast	petit-déjeuner
brunch	petit-déjeuner sur le tard (contraction de **Breakfast** et de **Lunch**)
lunch	repas de midi
supper, dinner	le repas principal, le plus souvent le soir
appetizer	entrées
dessert	dessert
a la mode	dessert avec de la glace (par ex. **apple pie** avec de la glace à la vanille)
a dill pickle	gros cornichons en conserve (**dill** = aneth)

Les TV dinners, comme les **chicken pot pies** sont des plats tout prêts qui ne demandent plus qu'à passer au **microwave** avant d'être ingurgités devant la télé.

Sweet Tooth

On dit des gens qui ont un faible pour les sucreries qu'ils sont **a sweet tooth** (litt. "dent douce"), *bec-à-sucre*. Pour eux, pas de problème d'approvisionnement aux États-Unis, où les desserts, nombreux et variés, sont souvent très sucrés. Il existe par ailleurs une expression pour les gens qui ont mangé trop de sucre : on dit qu'ils sont **sugar high**, ou encore qu'ils subissent un **sugar rush**, c'est-à-dire qu'ils sont comme en état d'ébriété à cause de la quantité de sucre qu'ils ont ingurgitée.

ice-cream cone	cornet de glace
sundae	glace aux fruits, recouverte d'un coulis
cookie	cookie, gâteau sec
brownie	gâteau fondant au chocolat

candy bars	appellation générale des barres de chocolat
fudge	fondant
donut	beignet rond percé d'un trou
pie	pâtisserie fourrée aux fruits

yuck!	yummy!
pouah ! / berk !	miam !

Pour votre information, le *Mars* s'appelle Milky Way et le *Bounty*, **Mounds**.

indigestion	indigestion
heartburn	brûlure d'estomac
to burp / to belch	roter
to have gas	avoir des gaz
to fart	péter
Rolaids, Tums, Maalox…	marques de comprimés destinés à favoriser la digestion

LA TOURNÉE DES GRANDS DUCS

Bars et boîtes

Condition N° 1 pour entrer dans un bar ou une boîte : exhiber à l'entrée un document pour justifier de son âge, l'âge minimum autorisé variant de 18 à 21 ans selon les États.

I.D., Proof of age est inscrit sur la porte. C'est le **bouncer**, *videur*, qui assure le contrôle à l'entrée. Celui ou celle qui aura été appelé à prouver son âge, papiers à l'appui, pourra dire : **I was (got) carded**.

Avant de vous engouffrer dans ces lieux, vérifiez de quoi il retourne :

• **Singles'Bar** : établissement principalement destiné aux célibataires.

- **Happy Hour** : généralement de 16h à 19h, créneau horaire pendant lequel beaucoup de bars font payer moins cher : **241 (two for one)** = deux boissons pour le prix d'une.

- **Open Mike** : (litt. "microphone ouvert") soirées où chacun peut faire son numéro. Plus connu chez nous aujourd'hui grâce aux karaokés.

- **Big Screen TV** : beaucoup de discothèques disposent d'un grand écran sur lequel elles diffusent des clips vidéo et des événements sportifs.

- **Cover Charge** : entrée payante.

Si vous êtes en quête d'un bar où "il se passe quelque chose", il faut demander **a good place to go**. Il n'y a pas d'expression particulière pour désigner une discothèque ou un bistrot. Le mot **disco** est totalement **out**. On s'informe sur **a place, a bar** ou **live music**.

good tunes, fat tunes	bonne musique ("chaude", pour danser)
a jammin' place	un endroit "in", qui assure
a hangout	bar

- **A beer joint** est un bar très modeste où on se rencontre pour boire (une bière) sans façon.

- **A honky tonk** désigne le même type de bar, avec de la musique country "live".

- **A tavern** est un petit bar.

- **The main drag** ou **strip** désignent la rue principale, celle où se trouvent les bars, boîtes, etc.

to stag it	sortir en célibataire
to hit the town	faire une virée en ville, faire la teuf
to hang (stick) around, **to hang out**	glander, zoner
to cruise around*, **to bar hop**	faire la tournée des bars
to cruise for chicks	draguer les minettes (en voiture)
to head out	se casser
to take off	se barrer, se faire la malle
to paint the town red	faire la noce / la bringue / la tournée des grands ducs
to party	s'éclater
to boogie	danser
to let loose	se laisser aller, se déchaîner
to play pool	jouer au billard (… américain)
stripes / solids	boules cerclées / boules pleines
deck of cards	jeu de cartes
to shuffle the deck	battre les cartes
bouncer	videur

* Attention ! **To cruise** s'applique souvent aux "gays" qui draguent pour se chercher un partenaire.

Let's party!
Allons faire la fête !

Let's cruise!
Tirons-nous ailleurs !

Let's get outta here! / We're outta here!
On s'tire !

Let's book!
On s'casse !

Pour ceux et celles qui n'entrent pas dans une boîte pour y jouer aux cartes ou au billard, mais exclusivement – ou accessoirement – pour y draguer, un vocabulaire plus spécifique est disponible à la page 76.

Tout se paie...

to go dutch	payer chacun sa part
to pick up the tab	payer pour tout le monde

Check, please! / The bill, please!
L'addition, s'il vous plaît !

À boire !

Il existe aux États-Unis beaucoup de dispositions variant d'un État à l'autre. L'âge légal auquel on peut boire de l'alcool en public est 21 ans. Certains États sont carrément **dry**, *secs*. Dans beaucoup d'autres – en Californie par exemple –, il est interdit de transporter de l'alcool au vu et au su de tous. Aussi les bouteilles sont-elles souvent emballées dans des *sacs en papier kraft*, **brown paper bag**.

Il existe une kyrielle d'expressions populaires ayant trait à l'alcool. Faites votre choix :

Une petite bière ?

beer on tap	bière à la pression
on draught (prononcez *draft*)	une (bière à la) pression
keg, tap	tonneau
mug	chope
beer by the glass	bière au verre
... can	... en canette
... bottle	... en bouteille

brew, brewskie	bière (brassée)
ice-cold brew	bière glacée
L.A. (= low alcohol)	bière peu alcoolisée
Lite Beer	bière basses calories
Near Beer	bière sans alcool
to guzzle a beer	siffler une bière
to chug / down a beer	s'envoyer une bière
a lush	un soûlard
beer belly	ventre à bière

I'll have a draught.
Je voudrais une pression.

Alcooliquement vôtre

S'il est un mot américain que l'on retient facilement, c'est le mot **shot**, un *coup*.
En échange, il en est deux autres qui sont difficiles à différencier : **liquor** (pron. *likeur*), qui signifie *alcool*, et **liqueur** (pron. *likioure*), qui signifie *liqueur*.
Moonshine désigne l'alcool que l'on a distillé soi-même. Le **moonshining** remonte au temps de la Prohibition, qui interdisait précisément de distiller son propre alcool. On distillait donc clandestinement son whisky au clair de lune, d'où le nom de **moonshine**.
En langage familier, *l'alcool* s'appelle **booze**.

brandy	cognac, ou eau-de-vie
hard liquor	alcool fort
a shot glass	un petit verre (d'alcool)
a (straight) shot	alcool fort servi sec (comme la Tequila)
to do shots	faire cul sec
mixed drink / cocktail	servi avec des glaçons entiers

blended...	avec de la glace pilée (crushed ice)
with a twist	avec une rondelle de citron
to wet the whistle	s'en jeter un (litt. "mouiller le sifflet")
to sip	siroter
chaser	alcool après la bière (ou le contraire...)
Red-eye, Boiler maker	whisky après la bière
schnap(p)s	alcool fort et sucré (comme le Peppermint)
to make a toast	porter un toast
to stand shot	payer une tournée générale
one for the road	un pour la route
nightcap	un dernier verre avant d'aller se coucher

I'll have a shot of...
Sers moi... / Je prendrai...

Down the hatch!
À vos amours !

Cheers!
Santé !

Bottom's up!
Cul sec !

Here's looking at you! / Here's to you!
À la tienne !

It's on me!
Je paye une tournée !

My treat!
C'est moi qui paye !

Hit me!
frappe-moi
Une autre !

This round's on me!
C'est ma tournée !

Oh man, you forgot the booze!
Oh non, mec, t'as oublié la tise !

I'll have a shot of whisky!
Je prendrai un verre de whisky !

Hey, bartender, get me a vodka on the rocks, will you!
Hé, garçon, une vodka-glaçons, s'il vous plaît !

THIS ROUND'S ON ME!
(C'est ma tournée !)

To hold one's liquor
tenir l'alcool

He can really hold his liquor! Il y a ceux qui tiennent l'alcool... et les autres. Pour ces derniers, les expressions ne manquent pas :

to get (be)		
	plastered	rétamé
	ripped	beurré
	blitzed	raide
	drunk	ivre
	bombed	bourré
	bent	(litt. "courbé")
	shit-faced	rétamé
	smashed	bituré
	trashed	bituré
	wasted	pété
	pie-eyed	gris
	polluted	éméché
	potted	rond
	tweaked	bourré
	totalled	éméché

Si vous êtes littéralement "cuit", voici quelques expressions quelque peu hyperboliques pour décrire votre état !

to get (be)		
	mutilated	litt. "mutilé"
	shredded	litt. "déchiqueté"
	slaughtered	litt. "massacré"

… Il y en a sûrement bien d'autres, mais nous osons espérer que vous n'aurez pas le temps de les écouler toutes d'ici la fin de votre séjour. Vous comprendrez qu'il nous soit difficile de vous proposer une traduction très fidèle pour chacune d'entre elles ; mais nous ne pouvons nous refuser le plaisir de vous en soumettre un certain nombre, afin que vous puissiez constater que les francophones n'ont vraiment rien à envier aux américanophones sur le plan linguistique dans ce domaine : avoir du vent dans les voiles, un coup de chasselas, les dents du fond qui baignent, un coup dans l'aile – ou dans la trompette –, se biturer, s'embourber, être enjuponné, être à point, au pays noir, allumé, arrondi, beurré – au choix, comme un petit lu ou comme une tartine –, être rond comme une bille, blindé comme un char, givré, dézingué, mûr, murdingue, rétamé, teinté, torché… Peut-être pouvons-nous nous en tenir là pour aujourd'hui ?

Revenons à nos études ! Nous en étions à :

He's seeing double.
Il est plein.

Au stade suivant, on trouve : **to pass out**, *tomber raide.*

Pour *vomir* et *gerber*, il existe également quelques jolies tournures : **to lose it**, **to throw up**, **to barf**, **to do a technicolor yawn** (litt. "bailler en technicolor"), **to ride the puke wagon**, **to blow one's cookies/chips/oats**, **to puke (one's guts out)**, **to talk on the big white telephone**, **to lose one's lunch**, **to toss one's cookies**, **to blow chunks**…

Nous gardons les meilleures pour la fin : **to pray to the porcelain god** et également **to drive the porcelain bus**.

Enfin, le lendemain matin, on peut envisager :

to have a hangover
avoir la gueule de bois

to be hung over
avoir mal aux cheveux...

Dans ce cas, il est préférable d'être raisonnable et de ne plus consommer d'alcool pendant un moment.
Pour dire qu'il ne boit pas d'alcool, un ancien alcoolique en période de sevrage dira : **I'm on the wagon!** S'il rechute, il dira : **I'm off the wagon!** pour signifier qu'il a repris de l'alcool.

Mettons enfin un terme à ce chapitre avec **a waste case**... qui n'est autre qu'*un cas désespéré* !

DU CÔTÉ DES STUPS

Après l'alcool, les autres drogues. Bien que ce ne soit pas vraiment notre domaine, nous nous devons d'y faire un détour, car là encore, il existe toute une terminologie qu'il peut être utile de savoir reconnaître au passage, car elle est assez présente par exemple dans les paroles de nombreuses chansons rock. Beaucoup de ces termes ont été inventés dans les années 60/70 et si certains peuvent déjà paraître "désuets", c'est que l'argot est bien une langue qui "bouge", et peut-être plus encore dans ce domaine que dans d'autres !

Dans le registre *être défoncé*, nous vous proposons : **fucked up** ✍, **doped up**, **gone**, **spaced (out)**, **to be out of it**, **to be zoned**, **loaded**, **fried**, **wasted**, etc. Et pour *être accro* : **junkie**, **head**, **pothead**, **dopehead**, **on the needle**, **cokefreak** (cocaïne), **cracker** (de **crack**), etc.

Quelques drogues : **dope**, *dope*, *came* ; **weed**, **grass**, **green**, *herbe* ; **pot**, **Mary Jane**, *marijuana* ; **hash**, *haschisch* ; **acid**, **Angel Dust**, **PCP**, **Yellow Sunshine**, *LSD* ; **horse**, *héroïne* ; **coke**, *cocaïne*…

Bien sûr, le vocabulaire "technique" évolue tous les jours, dans ce domaine comme dans beaucoup d'autres, et nous ne saurions vous fournir tous les synonymes plus ou moins fleuris qui désignent ces substances et le matériel (**artillery** ou **paraphernalia**) qui les entourent.

to do lines / rails / to snort coke / a line	sniffer une ligne
to shoot up	se shooter
to smoke a joint / bowl	fumer un joint
to take a hit	se faire un joint
to do a doobie	fumer un joint
to have a habit / to be hooked	être accro
to have a monkey on one's back	être toxico
bowl, pipe	pipe à shit
water pipe, Turkish pipe, bong	pipe à eau, un narguilé, un bang
overdose, "O.D."	overdose
paraphernalia	attirail du drogué
a lid	deux grammes de marijuana
a finger-lid	mini-dose de marijuana
a nickel bag	dose à cinq dollars

Du temps de Ronald et de Nancy Reagan, les campagnes anti-drogues affichaient :

This is your brain.
C'est ton cerveau.

Just say "no".
Il faut savoir dire "non"!

Ces slogans s'appuyaient en fait sur un spot télévisé émanant des instances gouvernementales : on y voyait un homme respectable présenter un œuf dans sa main et dire : **"This is your brain."** Ensuite, il jetait l'œuf sur une poêle et disait : **"This is your brain on drugs."** Venait alors le slogan : **"Just say 'no'!"**

OÙ SONT LES TOILETTES, S'IL VOUS PLAÎT ?

Sachez que les Américains ne vont jamais aux **toilets**, mais aux **men's** ou aux **ladies' room**. À la maison : **bathroom**. Dans un bar ou un restaurant, si vous demandez le **washroom** ou **restroom**, vous serez également dirigé vers les toilettes.
En échange, le terme **toilet** est à éviter, car il se rapproche de notre terme "waters" et ne sonne pas très bien. Dans l'Amérique puritaine, les toilettes des femmes étaient souvent appelées – avec une pudeur touchante – **powder room**, un terme aujourd'hui un peu ancien ; vous saurez donc rester impassible si vous entendez la femme que vous accompagnez vous annoncer : **I gotta go powder my nose**, même si elle ne porte pas de maquillage.
Entre collègues (les hommes surtout), il est courant d'entendre parler du **can** ou du **John**, termes familiers pour parler des *toilettes*. Quant aux termes qui servent à désigner ce que l'on "fait" aux toilettes, inutile de préciser qu'ils sont... nombreux :

to have gas	avoir des gaz
to fart, to break wind,	péter, lâcher un vent
to cut the cheese	lâcher une perlouse
to drain the main vein / lizard	se faire une vidange
to pee, to piss, to tinkle,	faire pipi, pisser, uriner...
to wee	
to take a leak	pisser un coup

to shake hands with the admiral	(litt. "serrer la main à l'amiral" À réserver aux hommes !)
to go poo	faire caca
to take a crap / shit / dump	poser sa pêche, flaquer, couler un bronze

My eyeballs are turning yellow.
Je ne peux plus tenir !

I gotta syphon the python.
Je vais égoutter la sardine.

I gotta drain the dragon.
Je vais faire pleurer le colosse.

I gotta water the horse
je dois arroser le cheval
Je vais mouiller une ardoise.

I have to take a shit.
Je vais caguer.

I have to drop a load.
Je vais poser une sentinelle.

Et pour la "petite" et la "grosse" commission, vous entendrez les expressions suivantes :

to go number one	faire sa "petite" commission
to go number two	faire sa "grosse" commission
to take a squat	(litt. "s'accroupir"), arroser les marguerites (réservé aux femmes, cette fois !)
to lay a log	poser un rondin

Nous pourrions peut-être maintenant sortir de ces lieux enchantés, pour aborder un vaste sujet…

LA TÉLÉ

Aux États-Unis, la télé est une gigantesque institution. Dans certaines régions, on trouve jusqu'à 150 *chaînes*, **channels**, thématiques, par câble ou satellite, qui présentent des programmes spécialisés : nouvelles, films, sports, dessins animés, etc. Aucun programme, ou presque, n'échappe aux coupures des *spots publicitaires*, **commercials**. Ceux qui restent assis toute la soirée, voire toute la journée, devant leur poste de télé, à grignoter des chips, portent un nom : **couch potatoes** (sans équivalent chez nous – du moins sur le plan du vocabulaire ! –, mais que nous pourrions traduire par "téléphages").

game show	jeu télévisé
sit-com (situation comedies)	mélo télévisé ; sitcom
soap opera	feuilleton interminable
tube, on the tube	télé, à la télé
(TV) set	téléviseur
cartoons, toons	dessins animés

ON SE FAIT UNE TOILE ?

On peut acheter ses billets de cinéma en dehors des cinémas (**box office**) eux-mêmes, par exemple dans certains grands magasins (**ticket outlets**).

movie theater, cinema	cinéma
movie	film
a bomb, a flop	un navet
matinee	séance dans la journée
double-feature	séance avec deux films
held over	prolongation
sold out	complet

WHAT A BOMB!
(Quel navet !)

Selon leur contenu et leur caractère plus ou moins érotique, les films sont classés de la façon suivante :

G = **General Audience** : grand public
PG = **Parental Guidance** : présence des parents obligatoire
PG 13 : présence des parents obligatoire pour les moins de 13 ans
R = **Restricted** : présence des parents obligatoire pour les moins de 17 ans
X = Interdit aux moins de 18 ans

Il y a un espace de restauration dans les cinémas : c'est le **concession stand**. On n'y trouve, la plupart du temps, pas d'alcool, mais des montagnes de **popcorn**, des **hotdogs**, des **pizzas**, des **nachos**, etc.

ON S'APPELLE ?

Aux États-Unis, on ne peut pas téléphoner de la poste.

HELLO!
ALLÔ !

to make a phone call	téléphoner
to dial a number	composer un numéro
to punch in a number	composer un numéro sur un téléphone à touches
to call someone / to ring someone up	appeler quelqu'un
a local call	un appel local
a long distance call	un appel longue distance
a collect call	un appel en PCV
a credit card call	un appel avec une carte de crédit
operator	opérateur
area code	indicatif
phone booth / payphone	cabine téléphonique
answering machine	répondeur

Talk to my machine!
Laissez votre message !

Send me a fax!
Envoyez-moi un fax !

Send me an e-mail!
Envoyez-moi un mail.

Hang on!
Reste(z) en ligne !

Hold on!
Ne quitte(z) pas !

Call me on my cell!
Appelez-moi sur mon portable !

EXPRESSIONS POUR TOUS LES JOURS

Sans qu'il soit ici question d'argot, nous vous soumettons un assortiment d'expressions courantes, familières, que vous entendiez tous les jours, en toutes circonstances. Nous nous sommes efforcés de les classer par thèmes. Certaines d'entre elles étant "polyvalentes", vous trouverez quelques répétitions, malheureusement inévitables.

Bonjour – Au revoir

How's it hangin'?
Comment ça va ? (entre hommes)

How's it going? / How goes it?
Comment vas-tu ?

I'm fine.
Je vais bien.

What's up?
Quoi de neuf ?

What's hap'nin'? / What gives?
Qu'est-ce qui se passe ?

What's the plan?
Qu'est-ce qu'on fait ?

Kick ass! / Break a leg!
Bonne chance ! / "Merde" !

Quand on a réussi quelque chose, un examen, un entretien, etc., on peut dire :

I kicked ass and took names !
j'ai botté les fesses et pris les noms
Je leur en ai mis plein la gueule !

See ya! / See ya later! / Later!
À plus ! / À plus tard !

Catch ya later! / Catch ya in a few!
À bientôt !

I'll keep you posted.
Je te (vous) tiendrai au courant.

Let's stay in touch.
On reste en contact.

Take care!
Prends soin de toi !

Take it easy!
Cool ! / Ne t'en fais pas ! / Zen !

Tu piges ?

to get the joke	comprendre la blague
the punch line	la chute (de ladite blague)
to pick one's brain	se prendre la tête
to rack one's brain	se creuser les méninges

Get a grip!
Reprends-toi ! / Arrête de déconner !

Can you deal with that? / Can you handle that?
Es-tu assez blindé pour entendre ce que je vais te dire ?

Can you make it?
Tu vas y arriver ?

Catch my drift? / Catch this?
Pigé ? / Tu saisis ?

Can you relate? / Check it out!
Tu suis ?

Get the picture?
Tu as pigé ?

Know what I mean?
Tu vois c'que je veux dire ?

Get it?
C'est clair ?

I hear ya!
Parfaitement !

It's over my head. / (It) beats me!
Je n'entrave que dalle.

I give up.
J'abandonne.

Get real!
Tu délires !

Comme deux ronds de flan

Run that by me again!
Redis voir un peu !

No shit! / No kidding!
Merde ! / Sérieux ? / Sans déconner !

You've got to be kidding!
Tu rigoles ! / Sans blague ! / Tu déconnes !

You're pulling my leg!
Tu me fais marcher !

D'ac !

Not too bad.
Pas trop mal.

I have a thing about it.
Ça me branche.

I get off on it.
Ça, c'est le pied / ça me branche. (connotation sexuelle)

O.K. by me.
Ça me va. / Ça colle.

Fair enough!
OK ! / D'ac !

Okeedokie! / Sounds good!
D'ac ! / Ça l'fait !

For sure!
Bien sûr !

You bet!
Tu parles ! / Je veux ! / Et comment !

That's the way!
Voilà ! / C'est ça !

That's the ticket!
Ça fera l'affaire !

Way to go!
Bravo ! / Bien vu !

Is it okay with you?
Ça te convient ? / Ça te va ?

It's A-okay!
C'est parfait !

Par ailleurs, les Américains ponctuent très souvent leurs questions ou exclamations par l'interjection **huh** (à prononcer à mi-chemin entre *ha* et *han*, avec un *h* aspiré). C'est en gros l'équivalent du *hein* que nous prononçons pour appeler l'acquiescement de notre interlocuteur.

So you say you went there just for fun, huh?
Donc tu dis que tu y es allé simplement pour t'amuser, hein ?

Let's say we meet up around fivish, huh?
Disons qu'on se retrouve vers cinq heures, d'accord ?

to flip someone off, to flip the bird, to give someone the bird	envoyer balader quelqu'un, sacquer quelqu'un

I've got a thing about him !
Je n'peux pas le blairer !

That's not worth a damn.
Ça vaut pas un clou / que dalle.

It's the pits!
c'est le fossé
C'est naze / la merde !

No way! / Forget it!
Pas question ! / Ça va pas la tête ? / T'es ouf ?

That's lame!
C'est douteux / nul !

Relax, Max !

It's a cinch / snap / piece of cake!
C'est du gâteau / du tout cuit / du nougat !

Relax!
Relax, Max ! / Zen !

Take it easy! / Hang loose!
Cool, Raoul ! / T'en fais pas ! / Tranquille !

Mellow out! / Chill out!
Détends-toi ! / Sois cool !

No prob (= no problem)!
Pas de souci !

NO PROB!
(Pas de souci !)

That's no biggie / no big deal!
Pas de quoi fouctter un chat ! / Et alors ?

Sure!
Mais oui ! Bien sûr !

Chuck it!
Laisse béton ! / Lâche l'affaire !

Un conseil : quand on vous dit **"thank you"**, vous devez abso-lument répondre **"You're welcome!"** ou **"Don't mention it!"**, *De rien / Je vous en prie*. Votre silence provoquerait un temps mort embarrassant.

D'autre part, dans les expressions courantes, les Américains accentuent beaucoup plus le pronom **you** que les Britanniques. Par exemple, si quelqu'un vous remercie de votre compagnie lors d'un déjeuner, d'une réunion ou de tout autre moment passé avec lui, vous pouvez simplement répondre **thank you** en traînant un peu sur le **you**.

Thank you for the meal!
Merci !

Thank *you* for joining me!
Merci à *toi/vous* pour ta/votre compagnie !

I miss you!
Tu me manques !

I miss *you*!
C'est *toi* qui me manques ! (sous-entendu, "tu me man-ques encore plus !")

N'hésitez donc pas à accentuer vos propos par ces marques de politesse !

On pique une tête ?

shades	lunettes de soleil (litt. "stores")
to grab some sun	prendre un peu de soleil
to catch some rays	faire une bronzette

to get a (sun) tan	bronzer
nude beach	plage de nudistes
skinny dipping	(litt. "baignade tout nu") : bain de minuit
to be in the nude / buff	être nu / à poil
to be in one's birthday suit	être en costume d'Adam / Ève
to go for a dip	piquer une tête
jacuzzi	jacuzzi
to hot tub it	se baigner dans le jacuzzi
boardwalk	promenade de bord de mer

Life's a beach!, *La vie est belle!* (déformation de l'expression **Life is a bitch**, qui veut dire exactement l'inverse : *Putain de vie !*)

Allez, on surfe ?

body surfin'	surf sans planche (à plat-ventre)
boogie board	mini-planche pour surfer à plat-ventre
to hang ten	surfer en faisant dépasser les orteils de la planche
to hang five	même figure, mais avec un seul pied !

Go check out the waves!
Va donc tâter un peu les vagues !

On s'casse !

Let's go!
On y va ! / On s'en va !

Haul ass! 💣
Lève ton cul !

On the ball!
À l'attaque !

Let's jet / jam!
On met les bouts ! / On s'arrache ! / On s'tire !

In no time!
Tout de suite ! / Plus vite que ça !

Let's book (outta here)!
Barrons-nous d'ici !

Let's blow this place / joint!
Allez, on s'tire !

Are you all set to go?
Tous prêts à lever le camp ?

Let's blow this popsicle stand!
On s'casse !

Baracca contre scoumoune

to luck-out, to be lucky, to pull one off	avoir de la chance, du bol, réussir
tough luck / break / shit / titties!	manque de pot / pas de bol / dur !
a goner	un perdant, un malchanceux
a fluke	coup de hasard

to front for someone	faire le guet (lors d'un mauvais coup)
to fall for a snow job	se faire avoir (au baratin)
scammin'	arnaque

Don't sweat it. / No sweat.
Ne t'en fais pas.

Are you stuck?
Tu as un problème ? / Tu sèches ?

I was stiffed.
Je me suis fait rouler.

I got burned.
Je me suis fait arnaquer.

He's full of it / shit.
Il déconne. / Il dit des conneries.

He pulled it off.
Il a réussi son coup.

It was a front / scam.
C'était du vent, de la frime.

Et si on taillait une bavette ?

to chat	bavarder
to yak	jacter
street talk	parlote (de rue)
to blab, to rap	déblatérer, baver

to shoot the shit / breeze	tailler une bavette, potiner
to talk in circles	parler sans en venir au fait
to talk a mile a minute	être un moulin à paroles

Let's talk turkey.
Venons-en aux faits.

You're running off at the mouth.
Tu uses un litre de salive à l'heure.

Les échanges de politesse sur la pluie et le beau temps s'appellent **small talk**.

She sure is an expert on small talk!
Elle est vraiment douée pour dire des banalités !

La ferme ! Casse-toi !

Shut up! / Button it!
La ferme !

Shut your trap! / Yuck it! / Pipe it!
Ta gueule ! / Boucle-la ! etc.

Cut the crap!
Écrase !

Don't give me that bullshit!
Ne me raconte pas de conneries !

Keep your hat on!
On se calme !

Freeze!
On ne bouge plus !

FREEZE!
(On ne bouge plus !)

Can it! / Cool it! / Bag it!
Écrase ! / T'énerve pas ! / On se calme !

Pull yourself together!
Reprends-toi !

Go jump in a lake!
Va te faire voir !

Gimme a break!
Arrête ton char !

Get out of my face!
Lâche-moi un peu, tu veux ?

Stick it! / Stick it in your ear! / Stick it where it hurts!
Tu sais où tu peux te le mettre ?

Stick it where it don't shine!
mets-le là où le soleil ne brille pas
Tu sais où tu peux te le mettre ?

Get your act / shit together!
Secoue-toi !

Cut it out! / Lay off!
Ça va comme ça ! / Fous-moi la paix !

Get off my back!
Lâche-moi les baskets !

Sit on your face and rotate!
assieds-toi sur ta figure et pivote
Écrase et gicle !

Back off! / Buzz off! / Get lost! / Hit the road!
Casse-toi ! / Dégage ! etc.

Get your ass in gear!
Bouge ton cul !

Piss / Kiss off!
Dégage !

Fuck off and die! 💣
Va te faire foutre !

Fuck you! 💣
Je t'emmerde !

Eat shit and die! 💣
Tu peux crever !

Au boulot ! / Au taff !

to work like a dog	trimer comme une bête
to go all out	se défoncer
to be over one's head in work	déborder de travail
	(être charette)

That's a real bore / drag!
C'est la barbe ! / C'est chiant !

Une véritable "ethnie" dans le monde du travail : les **YUPPIES** = **young urban professionals**.

Les **Yuppies**, dont le **lifestyle** prête parfois à sourire, – et qui pourraient s'apparenter à nos "jeunes loups" ou "jeunes cadres dynamiques" –, possèdent un langage bien à eux :

Let's do lunch! ou **power lunch** signifient "parler boulot lors du repas de midi". Du reste, parler d'autre chose serait du temps perdu !

To yuppify something signifie rendre quelque chose chic et branché.

La grogne

It's a pain!
C'est pénible !

It's a pain in the neck / ass!
C'est chiant !

It's a hassle / drag / bitch!
C'est la barbe / la plaie / quelle saloperie !

He's a pain in the ass.
Il est emmerdant.

You drive me up the wall!
Tu me rends dingue !

That bugs me. / It's a bugger.
Ça me fait suer. / C'est casse-pieds.
(**bug** = punaise)

That / he pisses me off.
Ça / il me fait chier.

He's buggin' / wigging' out.
Il me prend la tête.

I'm a basket case.
Je suis naze.

Don't make waves!
Fais pas de vagues !

to be pissed/ticked off	en avoir ras le bol / en avoir plein le cul
to get jerky	péter les plombs
to freak out	perdre les pédales, sortir de ses gonds

to be between a rock and a hard place	être confronté à un choix impossible
to be a dead duck, a goner	être foutu
to be in a jam	être dans le pétrin
to be up shit creek without a paddle	être dans la merde jusqu'au cou
to be up against the wall	se heurter à un mur
to corner someone, to pin someone down	mettre quelqu'un au pied du mur, coincer quelqu'un
blacklisted, blackballed	blacklisté, blackboulé
to take the backseat to someone	s'effacer derrière quelqu'un
to play dirty	jouer un sale tour
to pull a fast one	blouser quelqu'un
to take someone for a ride	mener quelqu'un en bateau
to take the piss out of someone	se foutre de la gueule de quelqu'un
to act up	se conduire mal (pour un enfant)
to save face	sauver la face
to be down in the dumps	avoir le bourdon
to be fucked up ☞	être drogué / saoul / flippé
to have butterflies in one's stomach	avoir les jetons
to be in the doghouse	être mis en quarantaine
to be double-crossed	se faire rouler
cop, pig	flic, keuf
blue and white / black and white	voiture de police
to smell bacon	sentir le poulet (rien d'alimentaire !)
to beat the shit out of someone	passer quelqu'un à tabac, marraver quelqu'un
to blow someone away	descendre, buter quelqu'un

to screw / mess something up	foutre quelque chose en l'air
to get busted / nabbed	se faire arrêter, pincer
to let someone down	laisser tomber quelqu'un
to be in a tizzy	être dans tous ses états

I'm in the hot seat.
Je suis sur la sellette.
(**hot seat** = *chaise électrique*)

Things are grim.
C'est mal barré.

Si l'on vous mène en bateau, vous pouvez répondre, de façon très grossière :

Don't bullshit me! 💣
Ne m'raconte pas de conneries !

Mieux vaut bien connaître votre interlocuteur !

Quelqu'un vous embête, vous agace, une réplique tout aussi grossière :

Stop busting my balls! 💣
Arrête de me casser les burnes !

Le tout venant...

and all that jazz	et tout le tremblement
benefits	bénéfices, profits
block party	fête de quartier
boom box 💣	stéréo portable
boondocks, boonies	bled, trou
burbs	banlieue
to bum around	zoner

BOOM BOX
(stéréo portable)

chew, plug, dip	chique, tabac à chiquer (plus récemment -- et plus fréquemment -- : cocaïne)
snuff	coke
cig, drag	cigarette, clope
to cut out, to put down	décrocher
dick, private eye	détective privé
to dip snuff	être de la renifle
fickle	capricieux
four-letter word	mot de quatre lettres (c'est-à-dire cinq lettres pour nous), "gros mot"
freebee	gratos
garbage can	poubelle
gizmos, gadgets	trucs, gadgets
guts	cran, tripes
to hang out / around / loose	zoner, glander
a hangout	un lieu de rendez-vous
to have a chew	chiquer

homely	au physique ingrat
kicks	pied (jouissance)
mug	chope
my crowd	ma bande, ma clique
my folks	mes viocs
out in the sticks	à perpète, au diable
pants	pantalon, futal
pop, soda pop	boisson non alcoolisée
posse (prononcez : *possi*)	gang, bande
room-mate	personne avec qui on partage son appart, colloc'
shalackers	chaussures vernies
skid row	zone, bas-fonds
sneakers	baskets, tennis
sort / kind of	plutôt
souped-up	gonflé (moteur, par ex.)
specs (de spectacles)	carreaux, lunettes
square	réglo, vieux jeux, ringard
straight*	réglo, nickel
stuff	came
the bottom line	le résultat
threads	fringues, sapes
tix (de tickets)	ticket
yonder	là-bas
a waste of time	une perte de temps
zip, nil	rien, zéro
zit, pimple	bouton d'acné

* **Straight** est également le terme courant pour dire que quelqu'un est hétérosexuel. C'est le contraire de **gay** qui veut dire homo.

Petit assortiment d'expressions et de phrases toutes faites

Can I bum a smoke?
J'peux te taper une clope ?

Chalk it up to experience.
Maintenant, tu sauras !

Another one bites the dust.
encore un qui mord la poussière
Et un cadavre de plus !

Blow it off! / It's history! / Gag!
C'est pour rire / du pipeau ! J'rigole !

Does this bug / bother you?
Ça t'embête / te chiffonne ?

Who cares? / What of it?
Et alors ? / Et après ?

So what? / Big deal!
On s'en fout ! / Tu parles d'une affaire !

Who gives a flying fuck? 💣
On n'en a rien à branler !

I don't give a shit / damn.
Je m'en tape / fous.

I can't see shit.
J'y vois que dalle.

It was murder!
C'était l'enfer ! / C'était mortel !

I'm pullin' for ya!
Je croise les doigts pour toi !

That's a crock of shit.
C'est des cracks.

He's the man.
Il est bon / fort. /
C'est votre homme.

Good job!
Bon boulot ! / Bien joué !

Hang in there! / Don't give up!
Tiens bon !

Park your butt! / Park it!
Pose ton cul !

Let's get down to the nitty gritty.
Venons-en aux faits.

He has been around (the block).
Il connaît la vie. / Il a de la bouteille.

Get your ass out of here!
Dégage ! / Bouge ton cul de là !

I've had it!
J'en ai ras l'bol !

Go for it! / Go ahead!
Vas-y ! / Mets-y le paquet !

What the heck are you up to?
Qu'est-ce que tu mijotes, bon sang ?

in the spur of the moment	sur un coup de tête
forever and a day	une éternité
to hold out for the best offer	se réserver pour une meilleure proposition
to be out to lunch	débloquer, être dans les vapes
to have one's shit together	être d'accord avec soi-même
to ham it up	cabotiner, exagérer
to kick the habit	décrocher, perdre l'habitude (de la drogue, de l'alcool, du tabac, etc.)

to be into something	être fou de / tenir à quelque chose
to ace a test	décrocher la timbale
to cop a peek	jeter un coup d'œil furtif
to mess it up	saloper, bousiller
to kiss someone's ass	faire de la lèche à quelqu'un
to give someone a piece of one's mind	dire ses quatre vérités à quelqu'un
to play hooky, to ditch / skip school	sécher les cours, faire l'école buissonnière
to be grounded	être interdit de sortie
to grab some shut-eye, to take a snooze / a nap	piquer un roupillon
to have a good head on one's shoulders	avoir la tête sur les épaules
to play one's cards right	jouer la bonne carte
to take the trouble (to)	se donner la peine de...
to take a shot at something	tenter le coup
to walk on thin ice	marcher sur des œufs
to catch some ZZZZs (prononcez *ziz*)	faire une ronflette
to hit the sack / hay	se picuter
to be zonked out	être mort de fatigue

Avant de refermer cette page, nous vous livrons encore une petite poignée de locutions assez colorées, dont la correspondance avec le français n'est pas toujours évidente :

He is as fit as a fiddle.
aussi en forme qu'un violon
Il se porte comme le Pont Neuf.

... as cool as a cucumber.
aussi froid qu'un concombre
... imperturbable.

You're barking up the wrong tree!
tu aboies au pied du mauvais arbre
Tu te trompes d'adresse !

Birds of a feather stick / flock together.
oiseaux de la même espèce restent / se regroupent ensemble
Qui se ressemble s'assemble.

No pain, no gain!
pas de douleur, pas de gain
On n'a rien sans rien !

What's good for the goose, is good for the gander.
ce qui est bon pour l'oie est bon pour le jars
Ce qui est bon pour l'un l'est aussi pour l'autre.

Don't make a mountain out of a molehill!
ne fais pas une montagne d'une taupinière
Tu ne vas pas nous en faire une montagne !

It costs an arm and a leg!
ça coûte un bras et une jambe
Ça coûte les yeux de la tête!

To walk on eggshells.
Marcher sur des oeufs.

SUPER ! TOP ! GÉNIAL ! LE PIED !

Et si, pour une fois, on exprimait un peu notre appréciation ?
Vous constaterez que, tout comme en français, les mots
changent radicalement de sens, selon le ton que l'on y met...
Ainsi, **wicked**, par exemple, dont le sens premier est : *affreux,
méchant*, devient *géant, super*, dès lors qu'il est énoncé avec
admiration.

• **zany**, **wild**, **sweet**, **mint**, **hot**, **stoked**, **jazzed**, **pumped**, **crazy**, **off-the-wall**, **wicked**, **bad**, **tough**, **awesome**, **brutal**, **cool**…

• Tous ces termes expriment, à des degrés différents, – et sans qu'il soit possible de donner à chacun son équivalent exact –, le même enthousiasme que nos : super, top, génial, chouette, canon, classe, cool, d'enfer, mortel, trop de la balle, grave bien et autres "trop fort !"…

Quelques autres :	
insane, crazy	insensé, fou
trippin'	super, marrant, tordant, déjanté (se dit d'une personne)
bitchin'	chié
top-notch	top-niveau
a real kick	le super pied
weird, kinky, bizarre	dingue, taré, chtarbé, zarbi
bad ass	très fort, ou très bon
terrific	super
neat	chouette
sharp	chic, élégant, classe
rowdy	tapageur
laid-back	relax, peinard, tranquille
easy-going	facile à vivre, super cool
mellow	à l'aise, relax
a helluva (– a hell of a)	(pour intensifier) un sacré, un super, un putain de…
cream of the crop	la crème, le dessus du panier
down-to-earth	réaliste, terre-à-terre

Just for kicks / laughs!
Juste pour se marrer !

Just kiddin'!
Juste pour te faire marcher ! / J'rigole !

Just pullin' your leg!
Juste pour te mener en bateau !

For the fun / hell of it!
Histoire de rigoler !

That's a scream!
C'est à mourir de rire !

Absolutely hilarious!
Hilarant ! / À se tordre !

It's hype !
C'est cool !

That turns me on!
ça m'allume
Ça me branche !
(connotation sexuelle)

That's a blast!
C'est super !

He cracked me up!
Il m'a bien fait marrer !

That blows my mind! / That's a mind blower!
C'est hallucinant !

That's a classic!
Ça paye !

That's something else!
C'est géant ! / C'est mortel !

It'll be a gas!
Ça sera une sacrée rigolade !

We're having a helluva time!
On s'éclate !

That blew me away!
Ça m'a tué !

This is a riot!
C'est dément !

WE'RE HAVING A HELLUVA TIME!
(On s'éclate !)

She's got the giggles.
Elle a attrapé un fou-rire.

to be all decked out	être super bien fringué / sapé
to be a real crack-up	être "quelqu'un"
to be wacko / wacky	être fou, fêlé
to laugh one's head off	mourir de rire
to bust a gut	se crever le cul
to have guts	avoir des tripes
to have gumption	avoir de la jugeote

Notez également cette expression, un peu familière : **just for shits and giggles**, *juste pour s'marrer !*

A San Fernando Valley, banlieue chic de Los Angeles, les filles dont le **daddy** possède un portefeuille bien garni ont leur propre "slang". Leur langage s'est progressivement répandu un peu partout aux États-Unis.

That's to die for! / It's so very! / That's real! / Totally real!
Super ! / Géant ! etc.

LORSQUE LES T-SHIRTS PARLENT...

Ils ne le disent pas avec le dos de la cuiller. Quelques échantillons :

Same shit – different day
If I had a hammer, there'd be no folk singers.
Is that your face or did your pants fall down?
Are you an artist or did you just get dressed in the dark?
My parents hate my fucking language.
Why can't I be rich instead of so damn good-looking?
I'm not arrogant, I'm just a whole lot better than you.
It's not who you are but what you wear. – I mean, who cares who you are, anyway?

La manie de l'abréviation frappe aussi très fort dans ce domaine : casquettes et T-shirts en sont témoins :

DILLIGAF?
Does it look like I give a fuck?
J'en ai rien à foutre !

DAMIFINO
Damned if I know!
J'en sais fichtre rien !

SNAFU
Situation normal; all fucked up!
Rien à signaler ; tout part en couille !

TARFUN
Things are really fucked up now!
Ça part vraiment en couille maintenant!

FUBAR
Fucked up beyond all reason!
Merdier total !

Eh oui, tout a une fin ! Après cette petite incursion dans les
expressions traduisant la joie, l'admiration, l'hilarité, retour
aux mauvaises nouvelles :

fresh	paf, éméché
dumb	stupide
corny	ringard
tacky	moche, de mauvais goût
gross (de **grotesque**), **grody**	dégueulasse, débectant
crude, rude	grossier, vulgaire
hyper	speed
freaked-out	défoncé
wiped-out	déchiré, défoncé
pooped, bushed	lessivé, crevé
beat	claqué, crevé
spaced-out, zoned	défoncé, planant
out-of-it	dans les vapes, à côté de la plaque
screwed-up, clueless	planté, sans la moindre idée
to be bummed-out	être déçu, l'avoir mauvaise
hokey	ringard
to be ripped off	se faire entuber
loony (de **lunatic**)	cinglé, siphonné
to go nuts / bananas	devenir dingue
shitty	débile
lousy	moche, pourri, dégueulasse
asinine	stupide, tarte
cheap	pingre
sleazy	cradingue
nasty	vilain, salaud
nasty trick	vilain tour
stuck-up	crâneur
two-faced	hypocrite
to be on edge	être à bout

to be edgy, touchy	être énervé, susceptible
to be pissed off	être emmerdé
to be blown away	être scié, soufflé
to be up in the air	être en rogne
to be grouchy	être râleur
to be grumpy	être grognon
to be cold	être froid, glacial
to be fed up	en avoir ras le bol
to be gutless	ne pas en avoir
to be jammin'	avoir du cul / le cul bordé de nouilles
to be gung-ho	en vouloir (foncer)
dirty trick	sale coup, coup en douce
double dealing	duplicité, double-jeu

YOU'RE GUTLESS!
(T'as rien dans le ventre !)

That's gross!
C'est dégoûtant / débectant / dégueu !

That's bogus.
C'est du toc / bidon.

That's sorry!
C'est mauvais !

You spastic!
Espèce d'enfoiré !

That's a bum rap!
C'est une accusation bidon !

You're sick!
T'es malade / taré !

It's muck! / That sucks!
Ça pue ! / C'est chiant !

FOUR LETTER-WORDS...

Devinette : pourquoi les mots de quatre lettres chez nos amis d'Outre-Atlantique en prennent-ils cinq chez nous ? Si vous êtes bon élève, vous connaissez déjà la réponse ! Nous abordons effectivement un terrain dont les limites s'étendent à perte de vue : celui des jurons, des injures, des insultes... Notez au passage que nombre d'entre elles peuvent être échangées entre copains sans pour autant qu'il règne entre eux la moindre inimitié. En effet, même chez nous, ne dit-on pas par exemple : "Eh ben, mon salaud, tu ne t'embêtes pas !" Mais comme "c'est le ton qui fait la chanson", nous vous recommandons la plus extrême prudence dans l'emploi de ce qui suit... et surtout, dans le doute, abstenez-vous !

hard nose	dur à cuire
tight ass	rat, pingre, coincé
four-eyes	têtard à hublots, binoclard
fool	bête, idiot
big mouth	grande gueule
ass wipe 💣, ass kisser 💣, butt lick 💣, brown noser	lèche-cul
asshole 💣	trou du cul
dick 💣, prick 💣	bite
shithead, dickhead 💣	tête de nœud, tête de gland
back stabber	faux derche, faux cul
double crosser	faux jeton

pimp	maquereau
scum	sperme, jute
jackass	connard
mofo 💣 (= motherfucker 💣)	enculé de ta mère, saloperie
son of a bitch 💣 (s.o.b.)	fils de pute
bastard 💣	salaud, connard
chicken shit	couille molle
whussy, pansy, pussy	tante, pédé, lopette
killjoy, party pooper	rabat-joie, trouble-fête
snotnose	petit morveux
ugly mug	sale gueule
crater / pizza face	boutonneux
tank, truck	malabar, gravos, gros plein de soupe
porker, blimp, fatso	gros porc
animal	salaud, peau de vache
cutthroat	acharné, sans scrupules
dud	raté, zéro
piece of shit	paquet de merde
14-carat idiot	imbécile de première
bum, riff raff, trash, low life	minable, clodo
airhead	gourde, cruche.
BMOC (= big man on campus)	vantard
butt head / face	tête de cul
pecker head	tête de nœud
shit kicker	cul-terreux
greaseball	métèque, rital
dog-ass	vaurien, racaille
cry-baby	chialeur, pleurnicheur
goof, goof-ball, goofy-head	con, andouille, cave
sucker	poire, nigaud

He's a pleb.
C'est un prolo.

He's flakey / out to lunch / out of it.
Il est cinglé / barjot / jeté.

He's a wise cracker.
C'est un crâneur / un blagueur.

Et tant que nous y sommes, plongeons encore un peu plus avant dans l'abîme sans fond de l'imbécilité, avec ces quelques expressions. Sans équivalent réel en français, elles sont assez savoureuses et suggestives pour que nous les mentionnions ici. Nous nous contentons de vous en donner la traduction mot à mot :

The lights are on but there's nobody home.
les lampes sont allumées mais il n'y a personne à la maison

THE LIGHTS ARE ON BUT THERE IS NOBODY HOME
(Les lampes sont allumées mais il n'y a personne à la maison.)

The elevator-shaft is empty.
la cage d'ascenseur est vide

He's lame-brained.
il est handicapé du cerveau

The chicken is in the pub but it's not fried.
le poulet est dans le restaurant mais il n'est pas rôti

He couldn't find his asshole with both hands and a flashlight.
il ne trouverait pas le trou de son cul avec ses deux mains et une lampe torche

He's a lump on a log.
c'est un crétin sur une bûche

QUELQUES DOUX QUALIFICATIFS

hagbag	cageot
tramp, hustler, floozy	baiseuse, salope, pute
trash	traînée, moins que rien
bitch ●※, hooker ●※, whore ●※, slut ●※, broad, hussy...	pute, salope
bag lady	clocharde
old hag	vieille taupe
old fogey	vieux schnoque
geezer	vieux débris
old bat	vieille chouette
old crab	vieil emmerdeur
pal, buddy	pote, également pris dans le sens de "ami d'un homosexuel"

Une pratique assez populaire aux États-Unis est celle du **mooning**. **To moon** signifie tout simplement "faire voir la lune en plein jour", c'est-à-dire baisser son pantalon et montrer ses fesses... Le **mooning** est pratiqué, sur l'autoroute, lorsque les voitures se font dépassées, ou pour marquer son dernier jour de travail dans une société. On peut dire aussi **to flip a BA** (= **bare ass**) ou **to bare ass someone**.

À propos, notre "Cause à mon cul, ma tête est malade !", pourrait se traduire par **Go and tell that to the marines!**

Quittons pour un moment ces "groupes de population" spé-
cifiques pour nous replonger dans les différentes manières de
menacer, d'insulter, de jurer. Attention ! Encore une fois, tout
en restant plus ou moins dans le même registre de langage,
les équivalents restent approximatifs :

I'll kick his butt 💣.
Je vais le buter.

It'll cost ya (you)!
Tu me le paieras !

I'LL KICK HIS BUTT!
(Je vais le buter.)

It's no picnic! / It's a bitch!
Ce n'est pas de la tarte !

Watch out! / Careful!
Attention !

Get a hold of yourself!
Contrôle-toi !

Buzz off!
Dégage !

Darn! / Doggone! / Damn!
Flûte ! / Zut ! / Merde !

Son of a bitch! / Bummer! / What a drag! / Man alive! / Nuts!
Putain ! / Zob ! / Bordel ! etc.

(A bunch of) shucks!
un amas d'épluchures
Mince ! / Zut alors !

(A pile / piece of) shit!
un tas de merde
Merde !

Fuck ⬤! / Crap! / Hogwash!
Merde ! / Putain / ! Foutaise !

Shit happens!
Merde sur toute la ligne !

Shoot!
"Mercredi !"

Garbage!
Conneries !

(A bunch of) bullshit ! / B.S. (= bullshit)
Conneries ! / Rien que des conneries!

He's full of it! / What the heck / hell...!
Il déconne ! / Que diable... !

Gosh! / Gee whizz!
Mince ! / Ben mon vieux !

Geez! (de **Jesus**)
Bon Dieu !

I don't give a flying fuck / shit / damn!
J'en ai rien à branler / battre / faire !

That sucks!
C'est nul à chier !

Kiss / lick my ass!
Va te faire foutre !

QUAND LE SEXE S'EN MÊLE...

QUE DISENT CES MESSIEURS (ENTRE EUX) À PROPOS DE CES DAMES ?

Eh bien, pas mal de choses ! C'est un sujet du plus grand intérêt, un peu tabou – donc inépuisable –, qui a suscité une véritable mine d'expressions argotiques en tous genres. Mais attention ! Qui dit "mine" dit "terrain miné" ❦❦❦ ! Sachez que dans les pages qui vont suivre, certains mots et expressions proposés sont très crus ; cependant ils existent, même s'ils ne sont utilisés que dans certaines couches de la société. Sachez donc faire un tri judicieux et user de vos "sélections" avec discernement.

Nous avons essayé d'en rendre la traduction la plus fidèle possible pour vous donner une idée du registre où ils se situent, et cela n'a pas toujours été facile ! Souvent nous avons dû nous contenter d'équivalences approximatives, car chaque langue a ses images bien à elle.

cutie	mignonne (jolie fille)
brown sugar	mignonne (fille de couleur)
sweet ass	minette excitante
doll, dollbaby	poupée
sweet	chérie
looker, fox, foxy lady,	beau petit lot
a hot babe, hot number	sexy, bandante

She's a winner!	**She's a ten!**	**She's a knockout!**
Elle est top !	Elle assure !	Elle est bien roulée !

SHE'S A KNOCKOUT!
(Elle est bien roulée !)

chick	poulette, minette
hon (de honey)	chérie
gal (de girl)	nana
my ol' lady, my wrap	ma bourgeoise, ma nana
built, stacked	bien roulée, bien foutue
cute	mignonne
prissy	bégueule
homebody	popote, pot-au-feu
T & A (tits and ass)	stupide mais bonne au lit
snob, snot	morveuse, merdeuse
nag	râleuse, emmerdeuse, chieuse
tomboy	garçon manqué
whale	grosse truie (litt. "baleine")
troll	vieille peau
rag	emmerdeuse (litt. "chiffon")
cling-on	pot de colle
gossip	concierge, pipelette
blabbermouth	personne qui ne sait pas tenir sa langue
tattle-tale	commère

bimbo	minette, ravissante idiote, lolita
two-timer	copine infidèle (double liaison)
run-around	coureuse d'hommes (multiples liaisons…)
prude	bégueule
ice, frigid	glaçon, frigide
airhead, blonde	cruche, gourde
wall flower	potiche, celle qui fait tapisserie (plante verte)
to be an easy pick-up	être une Marie-couche-toi-là
dressed to kill	être sur son trente-et-un

She's easy.
C'est une fille facile.

She's a tease. **She's a flirt.**
C'est une allumeuse. C'est une aguicheuse.

She's a floozy.
C'est une petite salope.

"She's a betty!" se dit d'une blonde aux yeux bleus qui conduit une Rabbit cabriolet. Il peut arriver qu'on aperçoive une fausse blonde au volant d'une vraie Rabbit. On dira alors : **"She's a wanna-be-betty!"**, *C'est une pseudo-betty !* La Rabbit cabriolet se fait d'ailleurs appeler en toute simplicité **bettymobile**.

MAIS QUE DISENT AUSSI CES DAMES (ENTRE ELLES) À PROPOS DE CES MESSIEURS ?

À votre tour, mesdames, il n'y pas de raison !

ace	canon
hunk, stud	bien foutu, bien monté (**stud** = étalon)
fox	beau mec

jock	athlète
hard body	costaud
brain	grosse tête
crack-up, kook	louftingue
joker	blagueur
honcho	gros légume
bonehead, egghead	crétin, bûche
dope, dummy	andouille, ballot
creep	minable
drag	emmerdeur
wimp	poule mouillée, lavette
twerp, dork, loser	bon à rien, crétin, gland
bum	glandeur
schmuck, prick	connard
maniac	cinglé, chtarbé
tightwad	radin, grippe-sou
rookie	blanc-bec (également : "bleu" dans la police)
toy boy	jeune amant, gigolo
show-off	frimeur
moron	taré
hot shot / shit	crack, bête
weirdo, freak	original
happy-go-lucky	joyeux drille
smart aleck, wise guy	petit malin, crâneur, également : roublard
goober	imbécile, petit crétin
jerk	petit con, bouffon
geek	salopard
nerd, dweeb	ringard, intello
bozo (de l'esp. *vosotros*)	gros biceps et petite tête, neuneu
preppy, prep	fils à papa (qui fréquente une **prep-school**, *école privée*)

sweet / smooth talker	beau parleur
chauvinist pig, swine	sale macho, phallocrate
two-timer	copain infidèle (double liaison)
macho	macho
my ol' man	mon vieux, ou mon pote

He's a real stud!
C'est un sacré tombeur / baiseur !

He's a real trip!
Ça, c'est un mec !

Oh, what a hunk / piece of meat!
Oh, quel beau morceau !

He thinks he's hot shit!
Il ne se prend pas pour de la merde !

He's clean.
Il est réglo.

Messieurs, faites connaissance avec ces dames !

cutie, honey	mignonne, poupée
good-looking	jolie
lady	belle femme
darling, sweetheart	chérie, mon cœur
sweet thing	ma puce
sugar, sweetie pie	mon trésor
baby, babe	bébé, beauté
angel	mon ange
missy	mademoiselle

Hey lady!
Bonjour, jeune fille !
Mais attention, peut également signifier : *Eh, la vieille !*

Le temps où les messieurs disaient **missy** à une dame est en fait révolu. Aujourd'hui, on dit plutôt **miz**, qui est une contraction de **Miss** et de **Mrs**.

Maintenant, passons aux travaux d'approche. Et restons courtois, s'il vous plaît ! même si nous avons opté pour un tutoiement d'emblée.

Haven't we met somewhere before?
Ne nous somme-nous pas déjà rencontrés quelque part ?

Haven't I seen you somewhere before?
Ce n'est pas la première fois que je te vois, n'est-ce pas ?

What are you doing tonight?
Qu'est-ce que tu fais ce soir ?

Would you like to come over?
Tu veux venir ?

Are you looking for some action?
Tu veux t'amuser ?

What do you have in mind?
Tu as quelque chose en vue ?

You come here often?
Tu viens souvent ici ?

Are you here with someone?
Tu es venue accompagnée ?

Is this seat taken?
Ce siège est occupé ?

Mind if I sit here?
Ça te dérange si je m'asseois ici ?

Who's (where's) your date?
Qui (où) est ton copain ?

Can I buy you a drink?
Je peux t'offrir un verre ?

Do you have / need a ride home?
Je peux te raccompagner chez toi ?

Are you driving?
Tu es motorisée ?

Can I come over?
Je peux venir avec toi ?

Do you wanna come to my place?
Tu veux venir chez moi ? (très direct)

Wanna party? / Let's party!
Allez, on fait la fête !

Notez qu'un **meat market** (litt. "marché de viande") est un lieu de rencontre pour les personnes en quête de partenaires. D'un autre côté, une **sausage fest** (litt. "fête de saucisses"), est, vous l'aurez compris, une soirée dans laquelle il n'y a pas beaucoup de filles !

Au cours d'une soirée, voici deux expressions classiques pour aborder une fille (ou un garçon) :

What's your sign?
C'est quoi ton signe astrologique ?

What's your major?
Tu fais des études de quoi ?

Mesdames, si vous ne voulez pas faire connaissance...

Ça peut arriver... Alors, nous allons commencer par vous souffler quelques réparties bien senties qui vous permettront d'envoyer ballader les indésirables. (À cet effet, vous pouvez aussi réviser la page 45) :

Get lost! / Beat it!
Dégage !

Scram!
Fous le camp !

Buzz off 💣!
Casse-toi !

Go fuck 💣/ screw 💣 yourself!
Va te faire mettre !

Shove it!
Barre-toi !

Bite the wall!
mords le mur

Fuck off 💣!
Va te faire foutre !

BEAT IT!
(Dégage)

Nous nous permettons d'espérer que vous ne serez pas amenée trop souvent à emprunter ce type d'injonctions... Et pour nous réconcilier avec les hommes, voici tout de même quelques mots plus sympathiques pour parler d'eux :

man	homme (vous connaissiez ?)
pal, buddy, dude	jules, pote, mec
guy	mec
big guy	mec bien
cuz (de **cousin**)	pote
kid, babe	copain, petit ami
bro (de **brother**)	pote

PRÉLIMINAIRES À "LA CHOSE"

to make eyes at someone	faire les yeux doux à quelqu'un
to make a pass at / to hit on someone	draguer quelqu'un
to mack on someone	draguer quelqu'un
to get your mack on	craquer pour quelqu'un
to ask someone out	inviter quelqu'un à sortir
to catch someone's eye	taper dans l'œil de quelqu'un
to be promiscuous	coucher avec tout le monde
to check someone out	se rencarder sur quelqu'un, choper des infos sur qqn
to scan the crowd	analyser "l'offre"
to come on to someone	aguicher quelqu'un
to lead someone on	(idem)
to tease	allumer quelqu'un
to feed someone a line	baratiner, faire du gringue (dans cette expression, **line** est **a line of talk** = des sornettes)

to make a date	se donner un rendez-vous
to set a time	se fixer un rendez-vous
to date someone / go out with someone	sortir avec quelqu'un
to break up	rompre, casser
to have good chemistry	avoir des affinités
to be free / single	être libre, célibataire
to be available	être disponible
to score	faire des ravages
to pick someone up	draguer quelqu'un
to get good / bad vibes	brancher, ne pas brancher
to shack up with someone	se mettre à la colle avec quelqu'un, se maquer
to feel up	caresser, peloter
French kiss	pelle, palot
hickey	suçon
to fool / goof / mess / screw / dick around 💣	avoir des aventures
to excite	exciter
to get excited	être excité
to get all hot and bothered / to be hot to trot	être allumé, chauffé, etc.
to have a hard-on	bander
to be hot for someone	en pincer pour quelqu'un, être accro à quelqu'un
to goose	mettre la main au cul
to get goosed	se faire mettre la main au cul
a quickie	un petit coup rapide
cheap thrills	un coup moyen
rubber	capote
the pill	la pilule
to be on the rag 💣	avoir ses règles
to be in the buff / nude	être à poil / nu
to be in one's birthday suit	être en costume d'Adam / Ève
to be knocked up	être en cloque
shotgun wedding	mariage forcé

| come-ons | avances |
| a fling, an affair, a one-night-stand | une aventure d'un soir |

I'm goin' pimpin'.
Je pars en chasse.

He's my date.
Je sors avec lui.

She still has her cherry.
Elle n'a pas encore perdu sa fleur.

She's a virgin.
Elle est vierge, pucelle.

It's that time of month!
Les Anglais ont débarqué !

"LA CHOSE"

Et maintenant, l'inévitable : les expressions se rapportant au sexe ! Devant l'abondance de l'offre, nous avons sélectionné les plus utilisées. Toutes ces expressions signifient "faire l'amour". Les traductions que nous en donnons ne servent qu'à indiquer approximativement le niveau de langage auquel elles se situent ; aussi les faisons-nous apparaître en italique.

to bonk	*s'envoyer en l'air*
to screw 💣	*niquer, baiser*
to make it with someone	*s'envoyer quelqu'un*
to make love	*faire l'amour*
to have sex	*avoir des rapports*
to go all the way	*aller jusqu'au bout*
to run all the bases / to score homerun	*"tout" faire*
to do it	*faire "ça", le faire*
to take someone	*prendre quelqu'un*

to go down on someone	*passer sur quelqu'un*
a good lay	*un bon coup*
to make whoopee	*faire la noce, faire l'amour*
to bang 💣	*tringler*
to jump someone's bones	*sauter sur quelqu'un*
to hump	*sauter, baiser*
to make / to work up	*besogner*
to hit a homerun	*se faire quelqu'un*
to get lucky / some	*coucher avec quelqu'un*
to bop / to fuck 💣	*baiser*
to get a piece of ass 💣	*se faire une partie de jambes en l'air*
to get some meat	(litt. "se faire un morceau de viande")
to get some T & A (Tits and Ass) 💣	(litt. "se faire des seins et du cul")
to come / to cum (off) / to go for it / to get off	*jouir, avoir un orgasme, prendre son pied*

Et puis, ça devait arriver… les expressions se rapportant à la masturbation ; pour certaines d'entre elles, nous nous contentons de vous livrer quelques indices par un mot-à-mot prudent ; pour d'autres, il n'y a même pas de mot-à-mot ; sachez seulement qu'elles existent :

to play pocket billiards	jouer avec ses billes
to play with oneself	jouer avec soi-même
to get off on oneself	prendre son pied avec soi-même
to beat off	se branler
to jack off, to wank, to wack off	se polir la colonne, se branler
to beat meat	dégorger le poireau (litt. "battre la viande")
to strangle one's granny	étrangler Popaul (litt. "étrangler sa grand-mère")

Un peu d'anatomie...

Maintenant, un peu d'anatomie. À l'étage supérieur, nous trouvons chez la femme : *les seins*, **breasts**, autrement baptisés :

boobs, knockers, tits, melons, hooters...	seins, nénés, nichons, tétons, rondins, doudounes...

À l'étage en-dessous :

pussy 💧, bush, crotch, hole 💧	chatte, gazon / barbu, foufoune, fente / trou...

Deux expressions assez imagées mais très vulgaires :

He is pussy-whipped, *Elle le mène par le bout du nez* (pudiquement). En clair, "il est complètement soumis à sa nana". (**to be whipped** = *déclarer forfait*).
She is dick-whipped, *Il la mène par le bout du nez*. C'est à dire : "elle est complètement soumise à son mec".

Chez l'homme, les attributs se nomment :

ding-a-ding	quéquette
dick	bite
pecker	pine
rod	gourdin
cock	queue
peter	Popaul / Charles le Chauve
bulge	(litt. "bosse")
tool / mechanism	outil / engin
thing	chose
hog	(litt. "cochon")
meat	(litt. "viande")
willy	petit frère
package	les "parties"

Sans oublier les *bijoux de famille*, **family jewels** ; *les boules, les noix* : **balls**, **nuts**.

To have balls signifie *avoir des couilles*.

Et, tant que nous y sommes :

> **rump / tush / tokus / butt / ass** 💣
> derrière / fesses / pétrus / pétard / cul

Et pour finir, quelques spécialités :

to be a working girl / **to work the streets**	faire le trottoir
to turn a trick	faire une passe
red light district	quartier à putes
pimp	maquereau
madame	mère maquerelle
brothel / cat house	bordel
the vice squad	la brigade des mœurs

A WORKING GIRL
(faire le trottoir)

À PROPOS DE L'ANGLAIS AMÉRICAIN

Avant que vous ne fermiez ce livre, nous aimerions vous indiquer quelques différences fondamentales entre l'anglais américain et l'anglais britannique.

D'une manière générale, l'américain est une langue plus homogène que l'anglais. En Grande-Bretagne, en effet, on rencontre des dialectes très différents selon les régions, ce qui n'est pas le cas aux États-Unis, dont l'histoire est plus récente. Par ailleurs, la langue américaine a conservé des mots et des tournures anciennes dont certaines remontent à l'époque coloniale, qui ont depuis longtemps disparu de l'anglais britannique.

C'est ainsi par exemple que les Américains emploient **fall** pour désigner *l'automne*, alors que les Britanniques disent **autumn**. Les Américains disent **I guess** (litt. "je devine"), là où les Anglais disent **I think**, et **to be sick** au lieu de **to be ill** pour *être malade*. Et là, il convient de bien distinguer les deux, car pour les Anglais, **to be sick** veut dire *vomir*.

Beaucoup d'Américains ayant conservé certaines intonations de leur langue d'origine, n'ayez pas peur d'exhiber votre accent français ; il devrait passer. Sachez que vous comprendrez mieux un New-Yorkais qu'un Texan, dont on connaît l'accent légendaire ! En général, la prononciation est plus facile à comprendre dans les États du Nord-Ouest que dans ceux du Sud, où la manie de la contraction rend la compréhension encore plus difficile : au lieu de dire **you**, *vous* par exemple, vous entendrez **y'all**, qui est une forme contractée de **you all**.
Si vous êtes hispanisant, vous pourrez très bien vous débrouiller, dans les grandes villes, avec les Hispano-américains que vous y rencontrerez.

Nous voici donc arrivés au terme de cet ouvrage par lequel nous avons voulu vous donner un aperçu du **slang** américain dans les domaines les plus variés.

L'Américain
sans interdits vous a donné envie d'aller plus loin ?

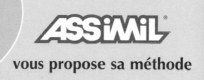

vous propose sa méthode

L'Américain
sans peine

105 leçons en 608 pages
4 CD audio
d'une durée de 2h45

Cette méthode vous permettra d'acquérir le niveau de la conversation courante dans un américain vivant et actuel grâce à son principe unique :

l'assimilation intuitive®

Découvrez ce principe à la page suivante.

LES MÉTHODES ASSIMIL

Collection Sans Peine

Pour vous permettre d'apprendre les langues avec plaisir et aisance, Assimil applique dans ses méthodes un principe exclusif, très simple mais efficace,

l'assimilation intuitive®

Ce principe reprend (en l'adaptant) le processus naturel grâce auquel chacun d'entre nous a appris sa langue maternelle.
Très progressivement, au moyen de dialogues vivants, de notes simples et d'exercices, Assimil vous mène du b.a.-ba à la conversation courante :
Durant la première partie de votre étude (appelée phase passive), vous vous laissez imprégner par la langue en lisant, écoutant et répétant chaque leçon.
Au bout de 50 leçons, vous entamez la phase active qui vous permet d'appliquer les structures et mécanismes assimilés, tout en continuant à progresser.

En peu de mois, quelle que soit la langue choisie, vous êtes capable de parler sans effort ni hésitation, de manière très naturelle.

LA MÉTHODE ASSiMiL ®

Nos 45 langues
sont disponibles chez votre libraire

Allemand – Alsacien
Américain – Anglais
Arabe – Arménien
Basque – Brésilien

Breton – Bulgare
Catalan – Chinois
Coréen – Corse
Créole – Danois

Espagnol – Espéranto
Finnois – Français
Grec – Crec ancien
Hébreu – Hindi

Hongrois – Indonésien
Italien
Japonais – Latin
Néerlandais – Norvégien
Occitan – Persan

Polonais – Portugais
Roumain – Russe
Serbo-croate
Suédois – Swahili
Tamoul – Tchèque
Thaï – Turc – Vietnamien

Tous ces cours
sont accompagnés
d'enregistrements
sur CD audio.
Dans certaines langues,
des cours de
perfectionnement
sont également disponibles.

**Renseignez-vous
auprès de votre libraire.**

Abréviations utilisées

s.o. : someone   sth : something

Vous trouverez dans les pages suivantes une liste alphabétique des principaux mots utilisés dans ce livre. Cet index vous sera utile à plusieurs titres, notamment lorsque vous entendez une expression ou un terme qui vous "rappellent quelque chose", mais dont vous avez oublié le sens exact. Chaque mot apparaît accompagné d'un ou plusieurs numéro(s) de page(s), qui correspondent à la/aux page(s) où il a été mentionné, avec ses utilisations respectives.

one hundred and seventeen 117

N° édition 2622 :
Poche AMÉRICAIN SANS INTERDITS
Dépôt légal : février 2008
Imprimé en France
par IMP Graphic